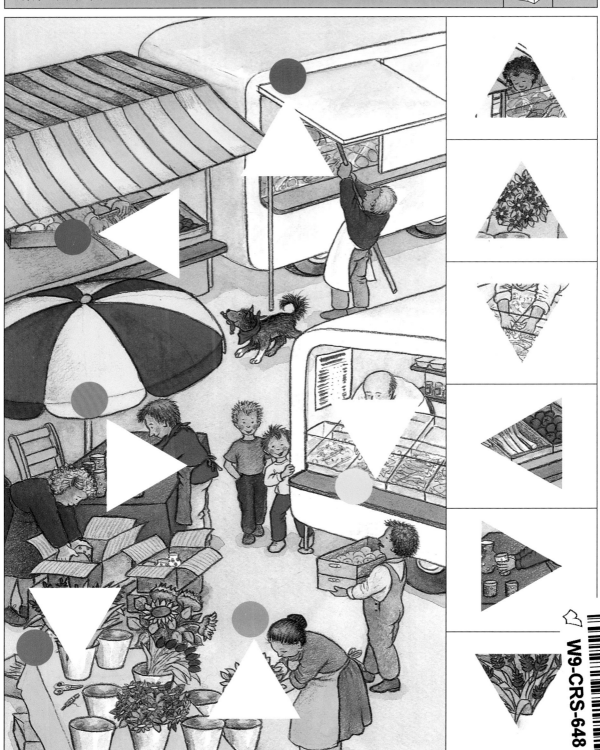

6-4021-K-01

W9-CRS-648

妈妈周末从菜市场上买了好多东西，请你在下图中找到从菜市场买回的东西，并涂上颜色。

2

你可以自己做一束彩色的花!

将彩纸反复折叠并剪开;

展开并且将下端用金属丝缠绕起来;

将花瓣全部展开,花茎用绿色纸缠好。

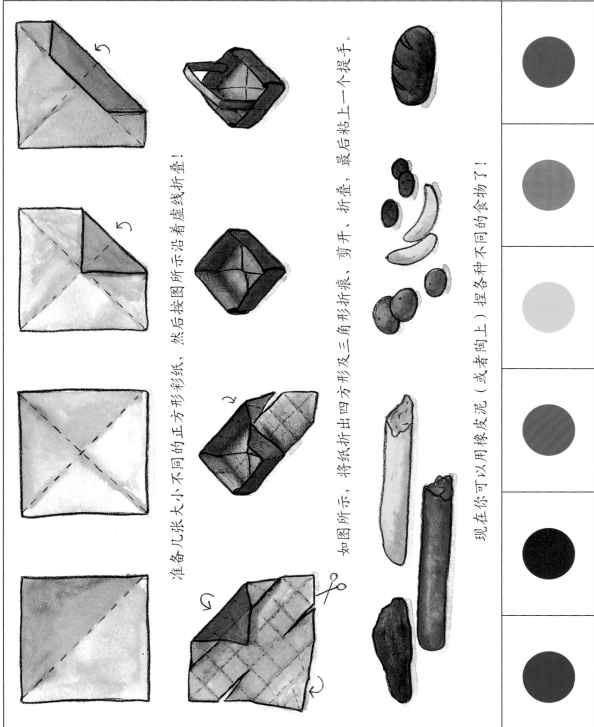

准备几张大小不同的正方形彩纸，然后按图所示沿着虚线折叠！

如图所示，将纸折出四方形及三角形折痕、剪开、折叠，最后粘上一个提手。

现在你可以用橡皮泥（或者陶土）捏各种不同的食物了！

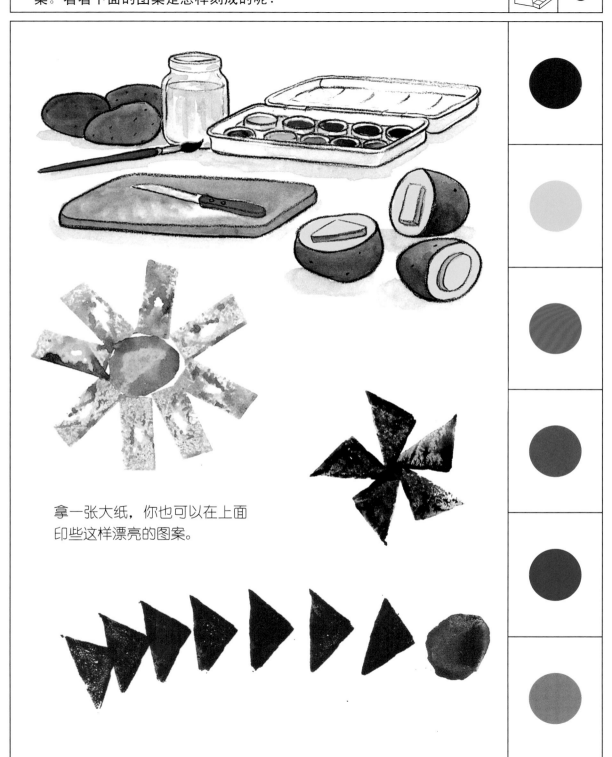

拿一张大纸，你也可以在上面
印些这样漂亮的图案。

这里正在做水果沙拉，你也可以学一学，然后按这个方法再做些别的水果沙拉。

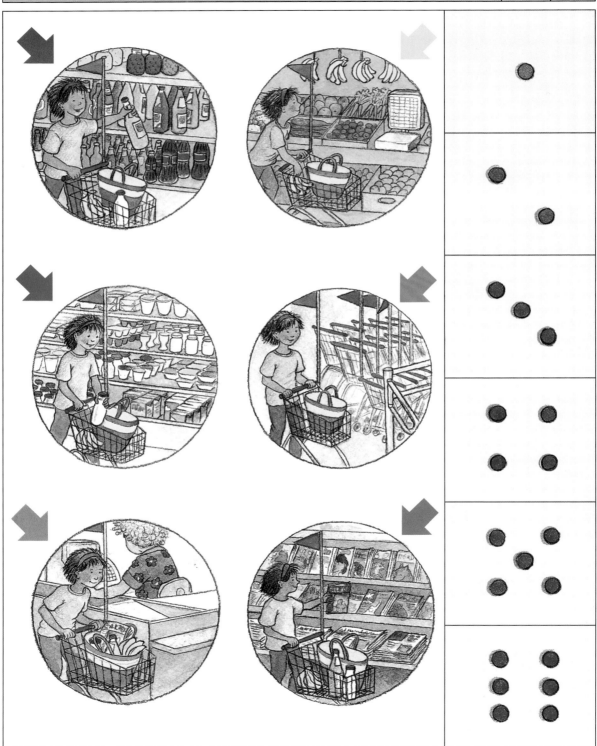

两个小朋友把小猪储钱罐里的钱都取出来了，有8个硬币滚到了地上，请你帮他们找到并涂上黄色吧！然后将整幅画涂上颜色。

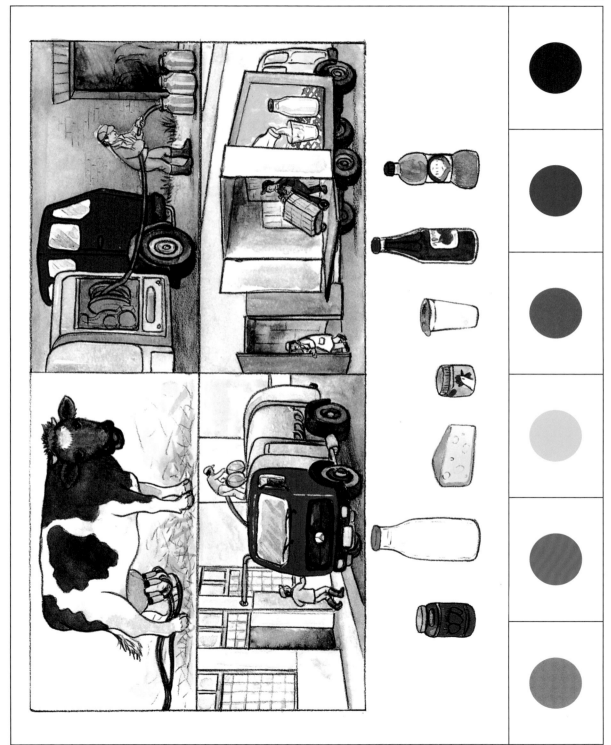

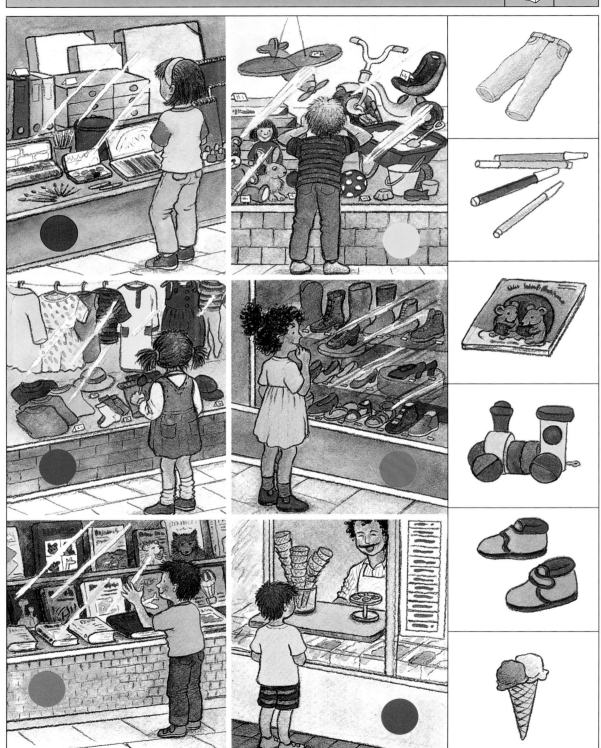

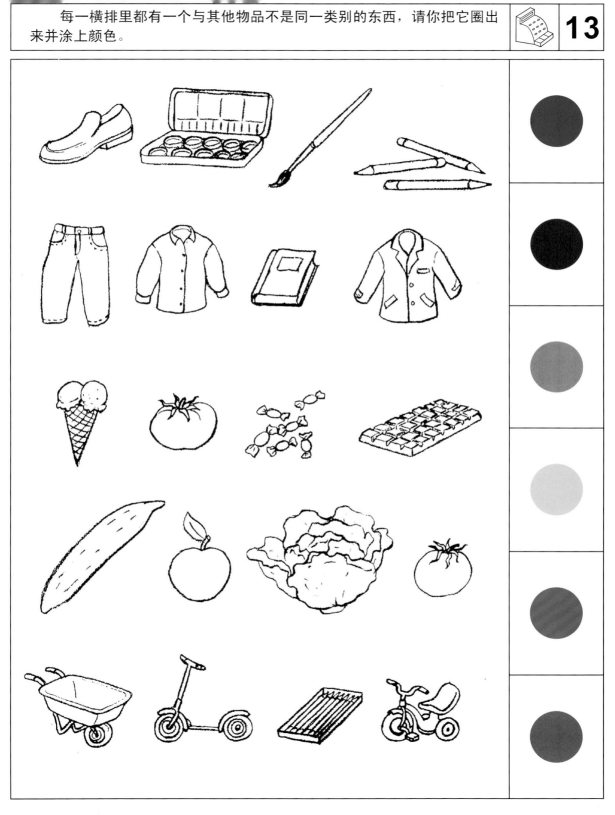

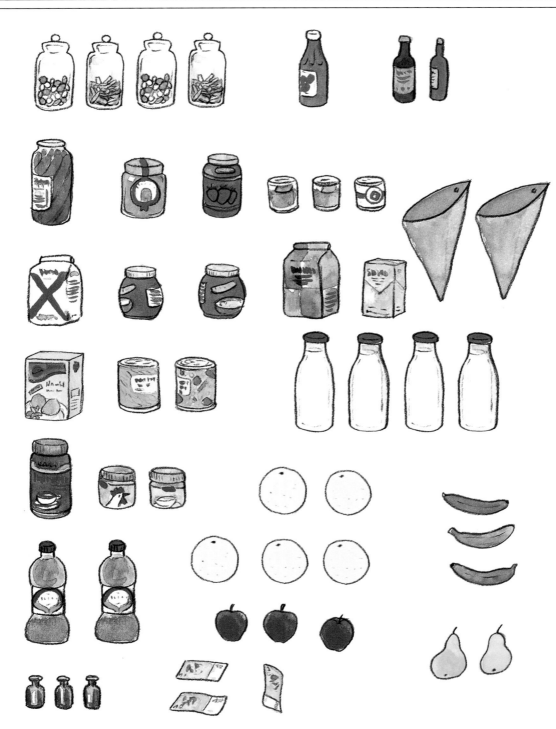